Les Indi

Texte de Stéphanie Ledu
Illustrations d'Aurélien Débat

MiLAN

Crows, Blackfeet, Comanches, Cheyennes, Sioux...
De nombreuses **tribus indiennes** vivent dans les plaines
d'Amérique du Nord avant l'arrivée des Blancs.

Ce campement appartient à des Sioux dakotas.

5

Chaque famille habite un tipi. Il n'est pas très grand, car les Indiens possèdent peu d'objets.

En hiver, un feu réchauffe la tente.
La nuit, on dort sur des lits de branches
sèches, blottis dans des fourrures d'ours !

7

Les petits Indiens ne vont pas à l'école. Leurs parents leur apprennent à reconnaître les plantes sauvages, à attraper des lièvres et des oiseaux...

Les filles aident leur maman, tandis que les garçons s'entraînent à tirer à l'arc à travers un cerceau qui roule. Raté !

Très jeunes, les enfants possèdent un poney. Qui veut faire la course ?

9

Comme tous les Indiens des plaines,
les Dakotas sont des chasseurs de bison.

Si les proies manquent, les hommes font
la danse du bison : ils demandent aux esprits
de la nature de leur envoyer des animaux !

Des éclaireurs sont partis en reconnaissance.
Ils font des signaux de fumée. Ces nuages blancs
signifient : « Bonne nouvelle ! Bisons en vue ! »

12

Aussitôt, des chasseurs se mettent en route pour les rejoindre. Les éclaireurs ont laissé des signes de piste qui indiquent le chemin à prendre. C'est par là !

Tuer un bison, c'est difficile et dangereux...
Les Indiens ont plusieurs tactiques.

Ils peuvent approcher, cachés sous des peaux de loup :
l'odeur de ces animaux n'effraie pas le troupeau.

Mais le plus souvent, les Indiens chassent
à cheval. Chacun décore ses flèches
de manière différente : pratique
pour savoir qui a tué l'animal !

Le clan est très fier : à 14 ans, ce jeune brave a tué
son premier bison ! Le chef lui offre le cœur
de l'animal en récompense.

L'énorme bête est utilisée en entier : on mange
sa viande grillée ou séchée, on fabrique des armes
et des objets avec ses os... Avec les peaux
de 12 bisons, on fait un tipi.

Ce qui compte le plus pour un Indien, c'est le courage.
Pour prouver qu'ils sont de valeureux guerriers,
les hommes attaquent les tribus voisines.

Avant de partir, ils dessinent des peintures de guerre sur leur corps et sur leurs chevaux. Ils pensent qu'elles leur donneront des pouvoirs magiques.

Chut ! Sans un bruit,
les Dakotas se faufilent
dans le campement des Crows,
pour voler leurs meilleurs chevaux.

22

Le plus grand exploit n'est pas de tuer l'adversaire, mais de le frapper avec son bâton à coup. S'il réussit, ce Dakota ajoutera une plume au sien. Mais attention au tomahawk !

Les Dakotas sont nomades : ils suivent
les troupeaux de bisons à travers la grande prairie.
Ils transportent leur campement sur des travois
tirés par les chevaux et les chiens.

En été, ils rejoignent les autres clans de leur tribu
pour chasser tous ensemble. « Hau, kola ! »
(Bonjour, mon ami !)

Tous les Indiens ne ressemblent pas à ceux des plaines.

Voici les Haïdas, qui vivent sur des îles proches
de l'Alaska. Sur leurs longues pirogues, ils vont pêcher
la baleine et les flétans, de très grands poissons.

Les Hopis habitent le désert de l'Arizona, dans de hautes maisons de terre. Ils cultivent du maïs, des haricots, des courges...

À l'époque, plus de **500 tribus**, parfois
très différentes, peuplent l'Amérique du Nord !

Découvre tous les titres de la collection

La station de ski

Les trains

Le chocolat

Le cinéma

Le vétérinaire

Les pirates

Le camping

Les animaux de la banquise

Tout propre !

Au bureau
Le bébé
Le bricolage
Les camions
Les dinosaures
L'école maternelle
L'espace
La ferme

Les abeilles

Les châteaux forts

À table !

Le jardin

Le pain

Le cirque

Les Jeux olympiques

Les loups

Chez le docteur

Versailles

Les robots

Les chats

La mer